CHOPIN *magazine* PRESENTS

CHOPIN
Nocturnes

ショパン　ノクターン集

譜めくりがいらない

演奏会のメモや楽曲分析のために

(株)ショパン

Larghetto (♩=116)
Op. 9-1
p espress.
(simile)
smorz.
legatiss.
appassionato
cresc.
con forza
sotto voce
(simile)
poco rall.
a tempo
cresc.
f poco stretto
poco rall.

a tempo
(ppp)
f
f poco stretto
poco rall.
sfp
(ppp)
a tempo
f
ff
con forza
pp
sempre Ped.
ppp legatissimo
sempre pianissimo
sf
smorz.
sempre p
rall. e dolciss.
a tempo
8va
legatiss.
f
cresc.
ff
dim.
p
smorz.
ff
accel.
dim.
rit.
ppp

Andante (♪=132)
Op. 9-2
2
p espress.
dolce
f
p
cresc.
pp
poco rit.
a tempo
poco rall.
sfp
(simile)

19
poco rall.
a tempo
f
sfp
22
p
25
p
pp
poco rubato
sempre pp
dolciss.
28
p
con forza
8va
stretto
31
ff senza tempo
cresc.
(32)
rall.
dim.
smorz.
a tempo
pp
ppp

Allegretto (♩=66)
3
scherzando
simile
leggierissimo
espress.
dolcissimo
sostenuto
stretto
e
cresc.
con forza
rall.
a tempo

rall.
a tempo
pp
Agitato
f
cresc.
sf
p
rit.
(a tempo)
cresc.
ff
dim.
smorz.
Tempo I
poco rall.
a tempo
scherzando
simile
risoluto
con forza
8va
senza tempo e legatissimo
dim.
Adagio
legatiss.
smorz.
ppp

Andante cantabile (♩=69)
Op. 15-1
4
semplice e tranquillo
(p)
sempre legato
poco cresc. -e rit.
dolciss.
(a tempo)
delicatiss.
p
dolciss.
smorzando
Con fuoco ♩=84
f
cre - scen - do
ff
dim.
sf
pp poco rit.
a tempo
dim.
sotto voce
cresc.

Con fuoco
sempre legato
cre - scen - do
dim. rall. e ca - lan - do
Tempo I
sotto voce
dolciss.
(a tempo)
poco cresc. e
ritenuto
dolciss.
rall.
dim.
smorzando

Op. 15-2
Larghetto (♩=40)
5
(p)
sostenuto
p leggiero
con forza
dolciss.
pp e poco ritenuto
cresc.
con forza
string.
rit.
Doppio movimento
sotto voce
cresc.

sf
cre-
scen-
do
decresc.
sf
dim.
molto rall.
smorz.
Tempo I
pp
dim.
dolce
leggierissimo
con forza
sf
dim. e rall.
(a tempo)
8va
pp
sf
dim.
smorz.
(rit.)

Lento (♩.=60)
Op. 15-3
6
languido
e rubato
dim.
f
dim.
poco rit.
a tempo
leggieriss.
f
dim.
rit.
dim.
a tempo
sotto voce
sf
sf
sostenuto
sf
cresc.
accelerando

75
rit.
sf
(f)
dim.
sf
rall.
84
a tempo
religioso
pp
p
sotto voce
sempre legato
94
104
114
sf
124
133
pp
143
rit.

7
Larghetto (𝅗𝅥=42)
pp
legato
sotto voce
m.d.
pp
ritenuto
Più mosso (𝅗𝅥.=54)
ten.
p
poco a poco cresc.
sempre più stretto e cresc.
f
sf
appassionato
ff
sostenuto
fff

rit.
agitato
sotto voce
dim.
poco
a
poco
cre-scen-do
ed
accelerando
ritenuto
con anima
ten.
stretto
cresc.
ed
accel.
con forza
Tempo I
sotto voce
legato
rit.
con duolo
calando
rall.
Adagio

Op. 27-2

Lento sostenuto (♩.=50)
8
p
dolce
(sempre legato)
sf
espressivo
cresc.
con forza
f
p
sf
pp
sempre legato
rit.
a tempo
pp
leggierissimo
dolce
cresc.

cresc.
sf
f
fff
pp
tr
8va
con anima
con forza
appassionato
dolciss.
dim.
(dolciss.)
calando
smorzando
dolciss. e dim.

Op. 32-1
Andante sostenuto
9
dolce
poco rit.
a tempo
f stretto
p delicatiss.
pp delicatiss.
f stretto
p
poco rit.
a tempo
tranquillo
f
p
f
pp

poco rit.
(a tempo)
f stretto
(rit.)
a tempo
poco rit.
(a tempo)
8va
rit.
Adagio

Op. 32-2

sf
ff
cre - - - scen - - - do
Appassionato
ff
delicatiss.
delicatiss.
leggiero
ritard.
Lento

Op. 37-1
Lento
11
p sostenuto
cresc.
dim.
f
ff
p
cresc.
dim.
(dim.)

Tempo I
cresc.
dim.
rit.

12
Andante
dolce
legato
p
sostenuto
cresc.
dim.
pp
f

70
76
8va
82
sostenuto
(p)
92
cresc.
102
dim.
pp
112
cresc.
cresc.
120
f
p
126
dim.
132
pp
ppp

13
Lento
mezza voce
p
f
ten.
Poco più lento
sotto voce
sempre p
pp
cresc.
crese.
ff
tr
rit.

(a tempo)
sempre ff
rit.
Doppio movimento
accel.
pp agitato
cresc.
pp
cresc.
ten.
ff rit.
dim. e rall.
pp

Andantino
14
ten.
cresc.
dim.
ritenuto
Più lento
stretto
rit.

(a tempo)
poco rit.
a tempo
cresc.
ritenuto
a tempo
cresc.
stretto
dim.
Tempo I
cresc.
sempre p
smorz.

15
Andante
p
rit.
a tempo
f
più mosso

rall.
stretto
rit.
(decresc.)
Tempo I
molto legato e stretto
cresc.
dim.
ed
accel.
8va
a tempo

Op. 55-2
Lento sostenuto
16
f sempre legato
cresc.
p
m.g.
f
p

cresc.
ff
sf
p
cresc.
dim.
f
sf
p
cresc.
cresc.
dim.
f
sfp
pp
dim.
rall.
a tempo
f

Andante
17
dolce legato
sempre legato
dim.
8va
rall.
pp
sfp
Sostenuto
cresc.
dim.

dolciss.
cresc.
dim.
poco più lento
dolce
poco rall.
a tempo
Tempo I
rall.
rit.
calando

Lento
18
sostenuto
dolce
cresc.
f
dim.
p
ff
sf
pp
ten.
(m.d.)
Agitato

dim.-
cresc.
cresc.
dim.-
rit.
(a tempo)
cresc.
(m.g.)
dim.
rit.
dim.
a tempo
(m.d.)

Op. 72-1
Andante (♩=69)
19
p molto legato
cresc.
dim.
rit.
a tempo
mf
p
poco
a
poco
cresc.
f
cresc.
f

rit. - - - - a tempo
poco dim.
dim.
8va
(p)
pp
ca- - - lan- - - - do

Pothumaus work

cresc.
p
sempre più dim.
sempre più piano, rallentando
(m.d.)
Adagio
morendo
ppp
Tempo I
dolce
come sopra
cresc.
f
p
simile
con forza
appassionato
sempre più piano
delicato
delicatissimo
pp e rall.
ppp

Pothumaus work

8va
(8va)
poco più forte
rit.
a tempo
cresc.
molto cresc.
8va
dim. e rall.

CHOPIN *magazine* PRESENTS

譜めくりがいらない
ショパン ノクターン集

2011年3月1日 初版発行

定 価 本体1,500円＋税
発行人 内藤克洋
発行所 株式会社ショパン
〒153-0061
東京都目黒区中目黒3-5-5-301
Tel 03-5721-5525
Fax 03-5721-6226
振替 00140-6-15241
http://www.chopin.co.jp

制作協力 株式会社アルスノヴァ
印刷所 日本ハイコム株式会社

ISBN978-4-88364-674-6